C000056194

Cwtsh

Llyfr bach, cariad MAWR

Hawlfraint
© Marred Glynn Jones
©Gwasg y Bwthyn, 2024
ISBN: 978-1-913996-81-9

Cyhoeddwyd gyda chymorth
ariannol Cyngor Llyfrau Cymru
Clawr a Dyluniad mewnol: Olwen Fowler
Lluniau: iClipart, iStock

Cyhoeddwyd gan:
Gwasg y Bwthyn
36 Y Maes, Caernarfon, Gwynedd LL55 2NN
www.gwasgybwthyn.cymru
01558 821275

CWTSH

Llyfr bach, cariad MAWR

Golygydd:

Marred Glynn Jones

Ydych chi angen cwtsh cariadus?

Os felly, dyma'r llyfr delfrydol i chi.

Darllenwch wrth eich pwysau.

Mwynhewch y geiriau a'r lluniau.

Ac yn bwysicach na dim,

mwynhewch y cwtsh!

NID YW CARIAD YN DARFOD BYTH.

1 Corinthiaid, 13: 8

Ond cyn bo hir af eto ar ryw sgawt
Tuag Eryri'n hy, ac fel pob tro
Mi wn na wêl fy llygaid unrhyw ffawt
Yng ngwedd yr hen fynyddoedd. Af o'm co'
Gan hagrwch serchog y llechweddau syth,
Gan gariad na ddiffoddir mono byth.

T H Parry-Williams

Rhaid
teimlo
cariad
â'r galon.

Helen Keller

Weithiau
mae popeth
fel darn o risial
siapus dal
siampaen
sy'n gorlifo gan
swigod hapus
ffansïo golchi
llestri.

Sian Owen

Cofio dy wyneb yn edrych ar fy wyneb,

Dy lygaid yn edrych i fy llygaid,

Dy law ar fy ysgwydd

A'th galon ym mhoced cesail fy nghôt.

Emyr Huws Jones

Haws yw codi'r môr â llwy,

A'i roi oll mewn plisgyn wy,

Nag yw troi fy meddwl i,

Anwylyd fach, oddi wrthyt ti.

Hen Bennill

Pobl fach

cariad
mawr

Huna, blentyn, ar fy mynwes,
Clyd a chynnes ydyw hon;
Breichiau mam sy'n dynn amdanat,
Cariad mam sy dan fy mron.
Ni chaiff dim amharu'th gyntun,
Ni wna undyn â thi gam,
Huna'n dawel, annwyl blentyn,
Huna'n fwyn ar fron dy fam.

'Suo Gân'

Rwyt ti'n rhan
o'm rhyddiaith i,

yn rhan o'r llun

sy'n mynd a dod

rhwng dau glawr.

Roedd fy nghalon yn crygu
A rhoddaist iddi gân ...

Sonia Edwards

"Lle mae cariad,
mae yna fywyd."

Mahatma Gandhi

Ni'n gwylio calon y tŷ'n pwmpo,
yn anfon cariad mas i bob
stafell, a chynhesu'r rhai
sy tu hwnt i'n golwg ni.

Elinor Wyn Reynolds

Cenwch gân
... i'r golau
yn y galon.

Dic Jones

Y mae Rhywun – wna'i mo'i enwi –
sy'n fy swyno'n lân â'i gerddi,
pe bai'i awen yn gusanau,
canu wnâi ngwefusau innau.

Annes Glynn

Sut mae gwrthod y deryn bach
          sydd yn ei lygaid triw
sy'n gwibio yma weithia,
          yn hedfan fatha dryw?
Yn syth i f'enaid gwirion
          a nythu heb ofalon,
yn hidio dim am y bariau dur
          yng nghawell fach y galon.

Lleuwen Steffan

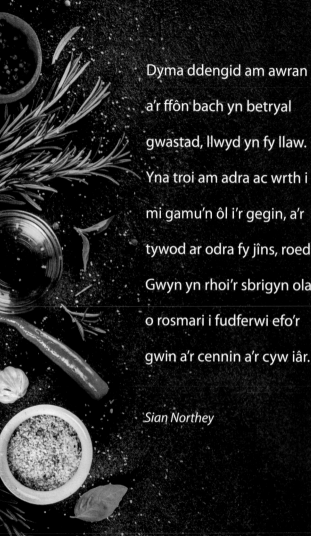

Dyma ddengid am awran

a'r ffôn bach yn betryal

gwastad, llwyd yn fy llaw.

Yna troi am adra ac wrth i

mi gamu'n ôl i'r gegin, a'r

tywod ar odra fy jîns, roedd

Gwyn yn rhoi'r sbrigyn ola

o rosmari i fudferwi efo'r

gwin a'r cennin a'r cyw iâr.

Sian Northey

Mae'n anodd maddau weithiau,
ond maddeuant ydi'r drws i
symud ymlaen.

Agor y bocs. Arllwys y llwch i'r nant yn dyner.
Gofalus . . . gofal nawr. Gwylio'r cynnwys yn
whare'i ffordd lawr hyd y cerrig, yn dawnsio
tua'r gored heibio cefen y tŷ a diflannu.
A ni'n teimlo'i ynni e'n rhuthro tua'r entrych.

Elinor Wyn Reynolds

Golau arall
yw tywyllwch,
i arddangos
gwir
brydferthwch.

Ceiriog

Duw, cariad yw.

1 Ioan, 4:9

Duw a ŵyr
be faswn i
hebot ti.

Brian Douglas Wilson
a Tony Asher

Mae 'na fath arbennig o
agosatrwydd yn ein teulu ni –
canlyniad chwerthin,
adegau hapus . . .
canlyniad gofal
a gwybod bod eraill yn malio.

Mae 'na fath arbennig o
agosatrwydd yn ein teulu ni.
A sail y cyfan?
Cariad.

Anhysbys

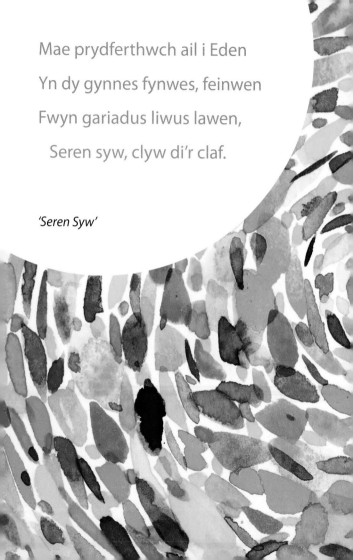

Mae prydferthwch ail i Eden

Yn dy gynnes fynwes, feinwen

Fwyn gariadus liwus lawen,

Seren syw, clyw di'r claf.

'Seren Syw'

Ti'n fy ngharu i fel storm

Ar noson gynnes ym Mehefin

A mae natur yn ffeind.

Dw i'n teimlo fath ag enfys bore wedyn.

Lleuwen Steffan

Ti yw'r weddi cyn y
wawr a'r odl yn y gân,

Ti yw cwrw cyntaf nos
a briwsion pice mân,

Ti yw dail yr hydref
a'r enfys rhwng y llaid,

Ti yw'r sane wrth y tân
i wisgo am fy nhraed.

Dewi 'Pws' Morris

Weithiau
mae cariad yn araf yn tyfu,
ond yn gwreiddio'n ddwfn.

Ti sy'n fy rhwymo wrth y tiroedd mwyn

Ac wrth dreftadaeth na all neb ei dwyn,

Dy seiniau'n canu yn fy enaid i,

Yn fy nal yn dynn,

Yn ei chlymu'n un

Â gwraidd dy galon di.

Gwenan Gibbard

Mae iaith yn fwy na mwythau; ynom ni

mae hi'n oes o frwydrau,

penyd o hyd i do iau,

yn gariad mwy na geiriau.

Annes Glynn

RWY'N GWYBOD BETH YW RHYDDID,
RWY'N GWYBOD BETH YW'R GWIR,
RWY'N GWYBOD BETH YW CARIAD
AT BOBOL AC AT DIR.

Dafydd Iwan

**CANWN,
BLOEDDIWN
YN UN CÔR
AC ESTYN
DWYLO
DROS Y MÔR.**

Huw Chiswell

Parhaed
brawdgarwch . . .
a chwaergarwch.

Gwelais ddawns y darnau arian

Pan fydd yr haul yn golchi'r marian,

Wedyn, oedi yn syfrdandod

Machlud ar y twyn a'r tywod,

Ond fe'm daliwyd gan dy lygaid dyfnion di.

Gwyn Erfyl

Dere, fy mab,
  yn llaw dy dad,
  a dangosaf iti'r glendid
  sydd yn llygaid glas dy fam.

Dafydd Rowlands

Mae 'na rywbeth amdanat ti
    na fedra i egluro,

Rhywbeth amdanat ti
    sy'n gwneud i 'nghalon i guro.

Ti yw'r harbwr diogel
    yng nghanol y storm,

Ti yw'r breichiau cadarn
    i'm cadw rhag ofn,

O, i'm cadw rhag ofn . . .

Arfon Wyn

Tra bo dŵr y môr yn hallt,
A thra bo 'ngwallt yn tyfu,
A thra bo hiraeth dan fy mron
Mi fydda i'n ffyddlon iti.

'Bugeilio'r Gwenith Gwyn'

Cyfoeth nid yw ond oferedd,
Glendid nid yw yn parhau;
Ond cariad pur sydd fel y dur
Yn para tra bo dau.

'Tra Bo Dau'

Daw cŵn i'n bywydau i'n dysgu am gariad.

Bethan Gwanas

Pedair pawen,
Cyfarth llawen,
Fy nghyfaill drygionus –
Ti yw fy awen.

Anhysbys

Bob nos rhoi'r genod yn eu gwlâu.
Ac yno fe gysgant dan gwiltiau Disney,
lleuad aur ar gotwm glas yn ffin i'w byd.
Yn ddeddfol,
sythaf gyfnas,
codaf degan,
rhof lyfr gwaith cartref yn amlwg at y bore,
dant dan obennydd lliw.

Ond heno,
a hithau â'i phaneidiau diddiwedd
yn ddeuddeg heglog ynghlwm wrth ffilm,
gadewais hi.

Pendwmpian yn fy ngwely uwch fy llyfr,
ac eiliad ddwyawr wedyn,
rhwng cwsg ac effro,
rhwng heddiw ac yfory,
synhwyro bysedd ifanc
yn tynnu fy sbectol.

Sian Northey

Cydnabyddiaethau

Mae Gwasg y Bwthyn wedi gwneud pob ymdrech bosib i sicrhau caniatâd y gweisg a'r awduron ar gyfer y cerddi a'r dyfyniadau sydd wedi eu cynnwys yn y gyfrol hon. Diolch yn fawr i bob gwasg, i Sain ac i'r awduron ynghyd â theuluoedd diweddar awduron am eu caniatâd caredig i gynnwys deunydd. Os daw gwybodaeth newydd i law am berchnogion hawliau sydd heb eu cydnabod, byddem yn falch o'i derbyn er mwyn cywiro unrhyw argraffiad yn y dyfodol. Mae'r gyfrol yn cynnwys nifer o benillion a dywediadau neu wirebau y mae eu hawduron yn anhysbys. Detholiad a geir o nifer o'r cerddi.

T. H. Parry-Williams, 'Ailafael', *Cerddi* (Gwasg Aberystwyth, 1931)

Sian Owen, 'Mewn Cariad' o'r dilyniant 'Ynysoedd', *Darn o'r Haul* (Cyhoeddiadau Barddas, 2015)

Emyr Huws Jones, 'Cofio Dy Wyneb'

Sonia Edwards, 'Rhwng Dau Glawr', *Y Llais yn y Llun* (Gwasg Gwynedd, 1998)

Elinor Wyn Reynolds, *Gwirionedd* (Gwasg y Bwthyn, 2019)

Dic Jones, 'Dilyn y Golau', *Golwg Arall* (Gwasg Gomer, 2001)

Annes Glynn, 'Cyffwrdd', *Hel Hadau Gwawn* (Cyhoeddiadau Barddas, 2017)

Lleuwen Steffan, 'Cawell Fach y Galon', o'r CD *Tân* (Coop Breizh/Gwymon, 2011)

Sian Northey, 'O Amgylch Hwn', *Cyfansoddiadau a Beirniadaethau Eisteddfod Genedlaethol Cymru 2006*

Elinor Wyn Reynolds, *Gwirionedd* (Gwasg y Bwthyn, 2019)

John Ceiriog Hughes, 'Ar Hyd y Nos'

Lleuwen Steffan, 'Fel Storm', o'r CD *Penmon* (Gwymon, 2007)

Dewi 'Pws' Morris, 'Ti', *Popeth Pws* (Y Lolfa, 2015)

Gwenan Gibbard, 'Iaith', yn seiliedig ar eiriau gwreiddiol W. Rhys Nicholas

Annes Glynn, 'Gwnewch Bopeth yn Gymraeg'

Dafydd Iwan, 'Pam Fod Eira'n Wyn'

Huw Chiswell, 'Dwylo Dros y Môr'

Gwyn Erfyl, 'Cariad', *Cerddi y Tad a'r Mab (-Yng-Nghyfraith)* (Gwasg Carreg Gwalch, 2003)

Dafydd Rowlands, 'Dangosaf iti Lendid', *Meini* (Gwasg Gomer, 1972)

Arfon Wyn, 'Harbwr Diogel'

Bethan Gwanas, *Prawf MOT* (Gwasg y Bwthyn, 2022)

Sian Northey, 'Nos Da', *Trwy Ddyddiau Gwydr* (Gwasg Carreg Gwalch, 2013)

'Cariad yw Cariad' o 'Mas ar y Maes', cân gan Catrin Finch, Jalisa Andrews, Gavin Ashcroft a Dylan Cernyw (2021)

Cariad yw cariad
ar ddiwedd y dydd.

'Cariad yw Cariad'